El ropero de Violeta

MARÍA PAULA DUFOUR

Ésta es la historia de Violeta y su ropero. Lo heredó de Lila, una tía de la misma gama familiar. Ella siempre dijo que cuando se mudara definitivamente a París por causas amorosas muy rosas, ese ropero sería para Violeta, su preferida.

Violeta quiere mucho a su tía Lila y la tía Lila adora a Violeta. Se nota que tienen una conexión especial.

Le Strada
RTE: B.B

Un día por la mañana la tía Lila se levantó y recibió una carta de su amado Bordolino Borravino que le preguntaba cuándo iba a volver a París, le decía que la extrañaba mucho y que ya no podía vivir sin ella...

Pensó un momento...
en verdad... unos segundos...
unos milisegundos y
decidió viajar a París.
Emprendió la despedida.

La tía Lila sólo tenía dos objetos que cuidaba con todo su corazón. Su **paraguas** y su **ropero**.

El paraguas se lo llevó y el ropero ya sabemos al cuarto de quién fue: nadie lo iba a disfrutar más que **Violeta**.

Violeta sufrió ante la partida de su tía... lloró unas lágrimas rosas pálidas, pero cuando recordó el ropero... sintió que su tía y ella iban a estar unidas a través de él... para siempre.

— ¡Violeta: el ropero es ahora tuyo!
¡Deja que llegue a tu corazón!

Se despidieron en el muelle. Mucha emoción:
mucho pañuelito bordado con florcitas rococó.

El ropero era
un poco
antiguo, pero
Violeta lo amó
al instante.
Por más que ya lo
conocía, ahora era
completamente suyo.

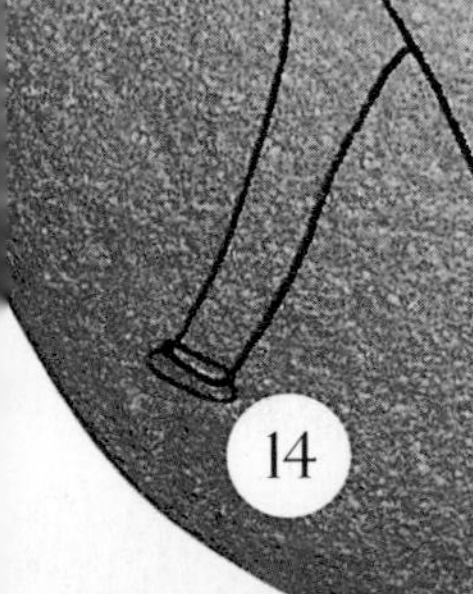

Recordaba cómo la tía sacaba sacos y vestidos de todas las épocas, zapatos de no sé qué reino…

Violeta lo sabía: ese ropero y ella iban a ser inseparables.

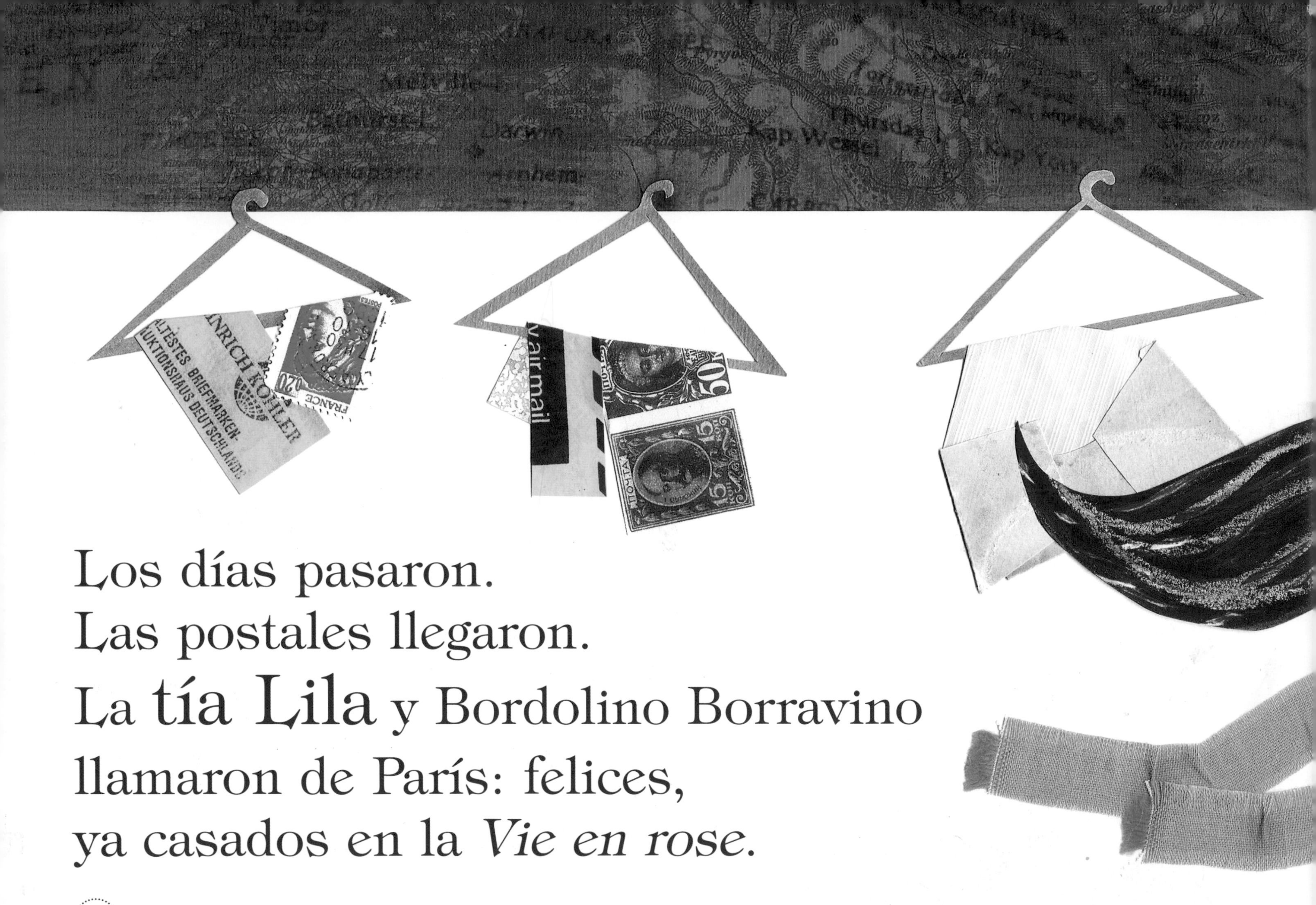

Los días pasaron.
Las postales llegaron.
La tía Lila y Bordolino Borravino
llamaron de París: felices,
ya casados en la *Vie en rose*.

Y **Violeta** se entretenía jugando con su muñeca y su nuevo **ropero**.

Todo era muy rosa hasta que una noche,

Violeta escuchó una música que salía del ropero...
No creyó en lo que escuchaba.
Pensó que era un sueño.

A la noche siguiente, cuando todos dormían, la música comenzó y un montón de zapatos y zapatillas empezaron a salir en puntas de pie bailando del ropero, ¡ahora los trajes de la tía bailaban también!

—¿Qué pasa adentro?
¿Qué hay en mi ropero?

Luego de varias noches de ver el espectáculo que montaba el ropero, Violeta sospechó. Algo pasaba y decidió investigar.

Y cual médico que examina a su paciente más grave, lo analizó completamente.

Pero lo que sorprendió a Violeta era que no sólo los resultados dieron números y colores más que correctos, sino que ¡el ropero la obedecía!

Toc
Toc

Esta vez, no podía negarlo:
- Tengo un ropero muy raro.

Un extraño sentimiento llevó a Violeta a sacar el último cajón del ropero. Y ahí encontró una **carta**:

"Violeta querida,
cuando descubrí el
secreto que escondía
este ropero me
inundó la emoción.
A mí me lo legó mi
tía Rosita, a quien a
su vez se lo dejó
su tía Blanca...

Les cumplió
sus sueños por
más imposibles
que parecieran.
¡Disfruta mucho!
Te quiero como a
nadie, tu
tía Lila.

Luna

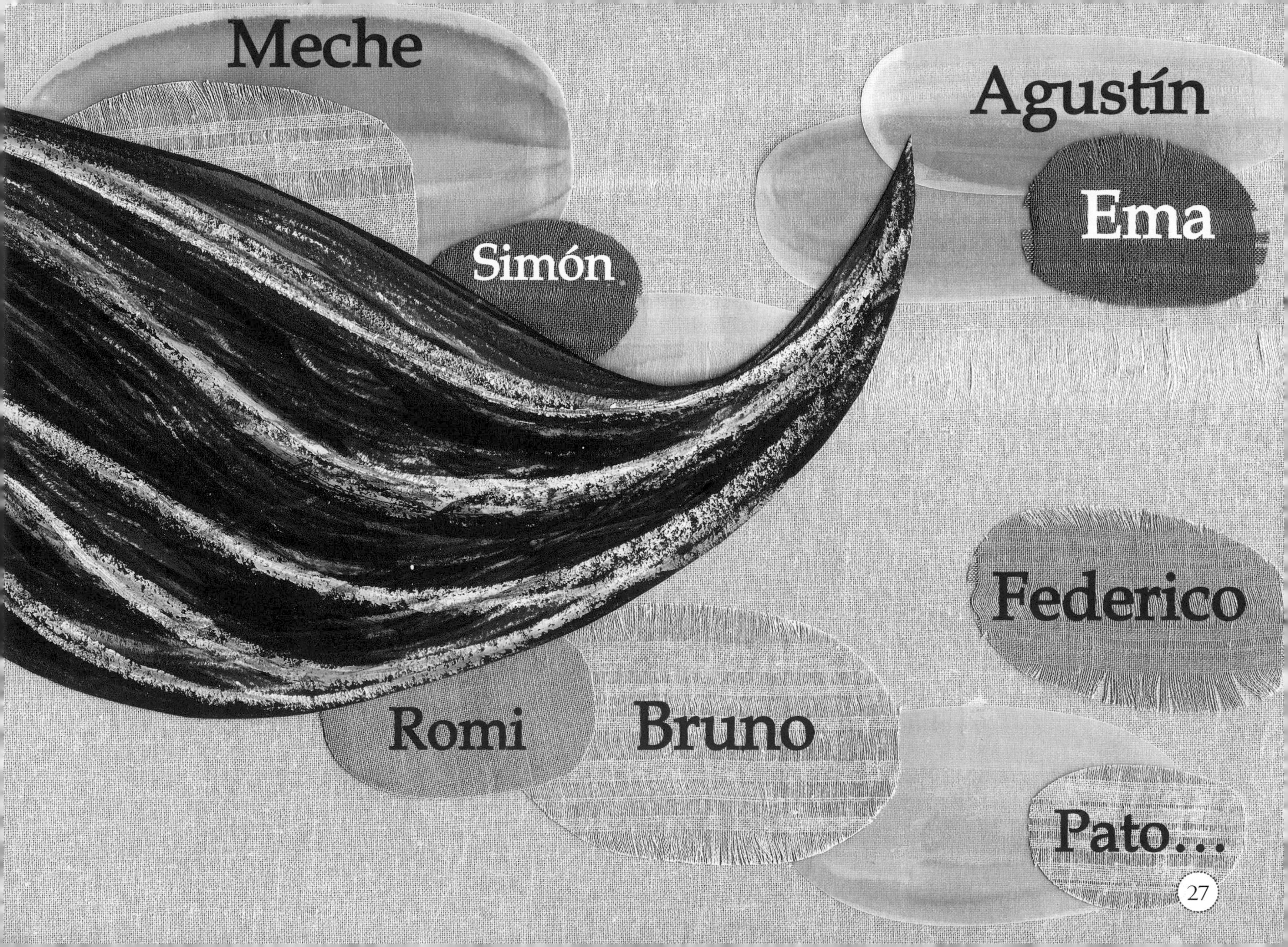
Meche
Agustín
Ema
Simón
Federico
Romi
Bruno
Pato...

Mi querido ropero:

¿qué otro nuevo
sueño me
cumplirás hoy?

Este libro se terminó de imprimir y encuadernar
en el mes de julio de 2008 en los talleres de
Pressur Corporation S.A., C.Suiza, R.O.U.